# PANAMA

## FOTOGRAFÍAS

G. M. Azumendi
L. Blas Aritio
F. Candela/H. Geiger
C. Lopesino
I. Morató
I. Rovira
A. Vázquez

© Copyright 2004 *Ediciones Balboa,* Panamá.
Reservados todos los derechos

e-mail: edicionesbalboa@cableonda.net

Realización: *Ediciones San Marcos S.L.*
Producción: *Diego Blas*
Documentación gráfica: *Luis Blas*
Diseño: *Alberto Caffaratto*
Traducción: *Lesley Ashcroft*

Fotomecánica y filmación: *Cromotex*
Impresión: *Gráficas Palermo*
Encuadernación: *Alfonso y Miguel Ramos*

I.S.B.N.: 9962-8805-2-1
Depósito Legal: M-31.626-2001

# PANAMA

Dra. Rosa C. de Britton

con la colaboración del
Ldo. Denis Alfonso Couto Ríos

EDICIONES
BALBOA

# CONTENIDO • CONTENTS

# PRÓLOGO

En los albores del tercer milenio PANAMÁ se ha convertido, gracias a su ubicación geográfica y al Canal, en uno de los puntos claves del comercio marítimo mundial. Esta obra maestra de la ingeniería y de la tecnología, que es capaz de unir dos océanos en un alarde de imaginación, no es lo único que podemos ofrecer al visitante.

Panamá puente natural, lazo de unión entre Norte y Sur América, lugar de intercambios y ruta ancestral milenaria, ofrece al visitante una naturaleza virgen y espec-tacular manifestada en sus playas, sus densas selvas, sus montañas y ríos y sus bellísimas islas.

Panamá es también un puente cultural, crisol de civilizaciones y razas, con una amplia riqueza folklórica y una gastronomía irrepetible, país de contrastes, en el que conviven los espectaculares edificios de arquitectura modernista y rápidas autopistas, con los grupos humanos autóctonos a sólo minutos de la capital.

Cuatro lugares han sido declarados por la UNESCO Patrimonio de la Humanidad. Dos son naturales: el Parque Internacional de La Amistad en la frontera con Costa Rica, y el Parque Nacional Darién en la frontera con Colombia. Otros dos son culturales arqueológicos y de gran riqueza arquitectónica: el Casco Antiguo de la Ciudad de Panamá, bañado por el Pacífico y cargado de historia, y Portobelo, situado en una de las más bellas bahías del Caribe, que evoca corsarios y piratas y al comercio más floreciente en tiempos de la Colonia.

Catorce parques nacionales protegidos por leyes que preservan la naturaleza, nos permiten observar una amplia biodiversidad en América.

Por todo lo anterior podemos decir con orgullo: Panamá es mucho más que un Canal.

*Liriola Pitti L.*
Gerente General
IPAT

# PROLOGUE

Thanks to its geographical location and to the Canal, Panama is now, at the beginning of the third millennium, a key site for world maritime trade. That masterpiece of engineering and technology uniting two oceans in a flourish of imagination is not, however, the only thing the country has to offer.

Besides being a natural bridge linking North and South America, a place of interchange and an ancestral thoroughfare for thousands of years, Panama also offers visitors a pristine and spectacular nature found in its beaches, thick jungles, mountains, rivers and wonderful islands.

Panama is also a cultural bridge, a crucible of civilizations and races, with a broad wealth of folklore and unique cuisine: It is a country of contrasts, in which spectacular buildings in Modernist style and fast highways exist alongside native groups living only a few minutes from the capital city.

UNESCO has declared four places as part of the World Heritage. Two are natural sites; namely, La Amistad International Park on the border with Costa Rica and Darien National Park on the border with Colombia. There are, besides, two cultural sites boasting a wealth of architectural and archeological features; one is the Old Part of Panama City, washed by the Pacific and brimming with history, and the other is Portobelo, a port located on one of the loveliest bays in the Caribbean and which puts one in mind of corsairs and pirates and the flourishing trade that went on in colonial times.

Fourteen national parks, whose natural assets are protected by law, are a showcase for America's broad biodiversity.

For all the aforementioned reasons we can state with pride that Panama is much more than just a canal.

*Liriola Pitti L.*
General Manager
IPAT

# M A P A

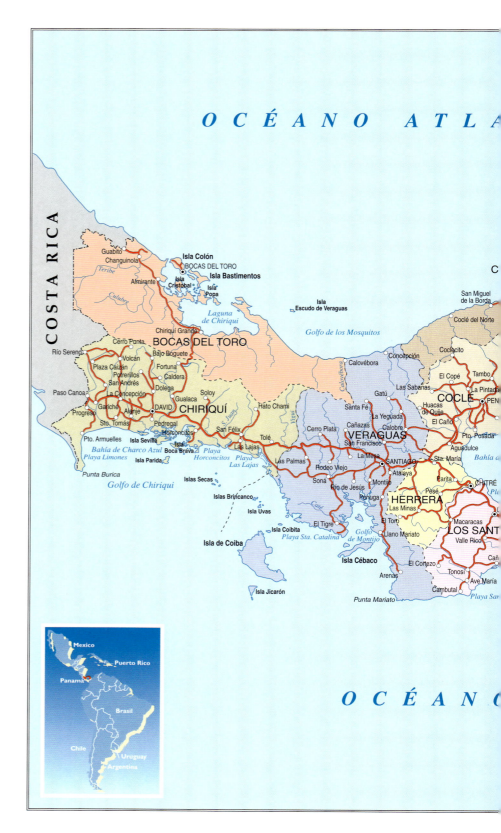

# M A P

PANAMÁ

N

20 10 20 40 60 80 100 Km

T I C O

Isla Grande
PORTOBELO    Palenque    EL PORVENIR
Playa Langosta    María Chiquita    Golfo de San Blas    Cartí Suitupo
Salamanca    SAN BLAS
OLÓN    Sabanitas    Buenavista
Chagres    La Eneida    El Llano    Icanti    Playón Chico
Gamboa    Ailigandí
La Laguna    Represa    Ustupo    Punta Mosquito
enosa    Chepó    Piriá    Navagandí
Arraiján    Pacora    PANAMÁ    Pirratí    Susardí
PANAMÁ    Torti    Cañazas    Ualá    Tubualá
dad    La Chorrera    Playa Veracruz    Agua Fría    Punta Escocés
erro    Capirá    Isla Taboga    Cabo Tiburón
Monte Oscuro    Chimán    Santa Fé    Puerto Obaldía
Playa Chame    I. Contadora    Boca de Lara    Meteti
Chame    BAHÍA DE PANAMÁ    Ucurganti
San Carlos    I. Bayoneta    San Miguel    Río Congo    LA PALMA
Playa Corona    I. Pedro González    I. Iguana    DARIÉN    Yaviza
rón    Isla del Rey    Golfo    Taimatí    Camoganti    El Real    Picuro
Isla San José    de San Miguel    Garachiné    Boca de Sábalo
GOLFO DE PANAMÁ

Isla Iguana
Pedasí    Puerto Piña
Playa Punta Mala    Jaque    COLOMBIA
enado

P A C Í F I C O

# INTRODUCCIÓN

Panamá, "lugar en el que proliferan las mariposas" en lengua indígena, es un pequeño país de 75.517 kilómetros cuadrados, con una población de 2.809.744 millones de habitantes, localizado en el mismísimo corazón del continente americano. Se encuentra limitado al oeste por Costa Rica y al este por Colombia, y bañado por las aguas del Caribe al norte y por las del océano Pacífico al sur. Hace millones de años un intenso vulcanismo permitió la unión de la masa continental mesoamericana a la región andina a través de una estrecha cintura que se extiende de este a oeste ubicada entre los dos mares.

El Istmo fue visitado por españoles por vez primera en una expedición organizada por un acaudalado notario de Triana, Rodrigo de Bastidas, que llegó al lugar en 1501 y recorrió la costa norte de Panamá desde el golfo del Darién, a través de las islas Kunas, hasta lo que fue después Portobelo. Tras obtener una gran cantidad de oro y perlas, Bastidas tuvo que abandonar su expedición debido al mal estado de sus naves y regresar a España sólo con una parte del tesoro.

El gran almirante Cristóbal Colón reposó sus naves sobre las costas de Veraguas en su cuarto viaje un diez y siete de octubre de 1502 y, como narran los cronistas de esa época, los españoles quedaron encandilados con los adornos de oro que ostentaban los indígenas. Días después, el dos de noviembre el descubridor llegó a una hermosa y protegida bahía que bautizó con el nombre de Portobelo. Y fue en tierra panameña donde España, la de los reyes católicos Fernando e Isabel, fundó la primera ciudad en tierra firme: Santa María la Antigua del Darién. La historia del Istmo se completa con el descubrimiento del mar del Sur por Vasco Núñez de Balboa un 25 de septiembre de 1513 que selló para siempre la importancia estratégica y el destino de Panamá como lugar de paso,

puente del mundo y espejo de las Américas, como la llamó el escritor y poeta Nacho Valdés.

A partir de ese momento histórico, contrabandistas, aventureros, piratas y conquistadores, así como las grandes potencias, competirían por adueñarse del camino entre los mares, todos ansiosos por poder desplazarse de un océano a otro en el menor tiempo posible.

En 1821 el Istmo se independizó de la Corona española y pasó a formar parte de la Gran Colombia de Simón Bolívar. Este caudillo convocó en Panamá el congreso anfictiónico de 1826 que tendría por objeto crear una gran confederación entre la Gran Colombia, Centroamérica y México. Sin embargo, nunca pudo realizarse su sueño y la Gran Colombia se disolvió, pasando Panamá a ser parte de la Nueva Granada. El ferrocarril construido entre 1850 y 1855 a costa de muchas vidas y esfuerzos unió los dos mares en menos de dos horas de viaje, convirtiéndose en el primer ferrocarril transoceánico del mundo. En 1880 los franceses iniciaron la construcción de un canal interoceánico bajo la dirección de Ferdinand de Lesseps, pero desgraciadamente fracasarían en su empeño, acosados por epidemias de diarreas, malaria, fiebre amarilla y tifus que diezmaron a los trabajadores, pero sobre todo por serios problemas financieros. Finalmente, en 1903 Panamá obtuvo su separación de Colombia.

El Canal de Panamá, una de las maravillas del mundo moderno fue terminado por el gobierno de los Estados Unidos en 1914 y, debido a los acuerdos Torrijos-Carter, pasó al control absoluto de Panamá el 31 de diciembre de 1999. Esta grandiosa obra del ingenio humano constituye un lugar de obligada visita y desde el mirador de las esclusas de Miraflores, ubicado muy cerca de la ciudad capital, el visitante puede admirar y apreciar el complejo mecanismo de funcionamiento que permite a gran-

# INTRODUCTION

Panama, meaning 'place of many butterflies' in native language, is a small country of 75, 517 square kilometers with a population of 2,809,744 million, located in the very heart of the American continent. Bordered to the west by Costa Rica and to the east by Colombia, it is washed by the Caribbean to the north and by the Pacific Ocean to the south. Millions of years ago intense volcanic activity fused the Meso-American continental mass to the Andean region along a narrow belt stretching from east to west between the two oceans.

The Isthmus was visited by the Spanish for the first time on an expedition organized by a wealthy notary from Triana, Rodrigo de Bastidas, who arrived there in 1501 and traveled along the north coast of Panama from the Gulf of Darien across the Kunas islands to what later became Portobelo. After obtaining a large amount of gold and pearls, Bastidas had to abandon the expedition due to the bad state of his ships, returning to Spain with only part of the treasure.

The great admiral Christopher Columbus anchored his ships off the coasts of Veraguas on 17 October 1502 during his fourth journey. Chroniclers of that time recounted that the Spanish were dazzled by the gold adornments worn by the Indians. Not many days afterwards, on 2 November, Columbus arrived in a lovely sheltered bay which he named Portobello. It was on Panamanian territory that the Spain of the Catholic kings, Ferdinand and Isabel, founded the first city on dry land, Santa Maria la Antigua in Darien. The history of the Isthmus was completed on 25 September 1513 with Vasco Nuñez de Balboa's discovery of the Southern Sea, which forever sealed Panama's strategic importance and its destiny as a place of passage, an international bridge and mirror of the Americas as the writer and poet Nacho Valdes calls it.

From that historic moment onwards, smugglers, adventurers, pirates, conquerors and the great powers competed to take control of the route between the seas, all anxious to be able to travel from one ocean to the other in the least possible time.

In 1821, the Isthmus achieved independence from the Spanish crown and became part of Simon Bolivar's Gran Colombia. That leader convened the congress of 1826 in Panama with the aim of creating a great confederation out of Gran Colombia, Central America and Mexico. But he was never to realize his dream as Gran Colombia was dissolved and Panama became part of Nueva Granada.

The railway built between 1850 and 1855 at the cost of many lives and much effort united the two seas by a journey of under two hours, thereby becoming the world's first transoceanic railroad. In 1880, the French began construction of the interoceanic canal under the supervision of Ferdinand de Lesseps. They, unfortunately, failed in their aim, dogged by epidemics of diarrhea, malaria, yellow fever and typhus, which decimated the workers, but, above all, by serious financial problems. Panama obtained its independence from Colombia in 1903.

The Panama Canal, one of the marvels of the modern world, was completed by the United States' Government in 1914. Following the Torrijos-Carter Agreements, absolute control passed to Panama on 31 December 1999. This magnificent work of human ingenuity is not to be missed. From the viewing point at the Miraflores locks very close to the capital city, visitors can admire and appreciate the complex operational mechanism that allows large ships to travel from one ocean to the another in eight to ten hours. The alternative for these

*Las densas selvas del Darién destacan
por su gran diversidad biológica.*

*The thick jungles of Darien are outstanding
for their great biological diversity.*

Cordillera Central que se extiende desde la frontera con Costa Rica hasta el cerro Trinidad, en la provincia de Panamá divide al país en dos vertientes, la del Caribe y la pacífica.

Panamá brilla con luz propia en el continente americano debido a la belleza de su exuberante naturaleza, a la gran cantidad y variedad de sus aves, de las que se han censado más de novecientas especies, y a sus numerosas orquídeas endémicas. Igualmente destaca por la abundante pesca en sus aguas litorales de ambos océanos, por la espectacularidad de sus numerosas playas, por la presencia de más de mil islas paradisíacas en sus archipiélagos y finalmente por sus diferentes tipos de bosques, cuyo conjunto constituye una singular riqueza ecológica que se conserva en sus parques nacionales y otras áreas de conservación que comprenden el 29% del territorio nacional.

Pero sobre todo Panamá se distingue por su gente, amable, festiva y hospitalaria. Un país que por su condición de puente del mundo es crisol de razas, una amalgama de costumbres, folklore, comidas e idiomas que siempre da la bienvenida al visitante con toda la alegría y hospitalidad de un país tropical. Administrativamente la República de Panamá está dividida en nueve provincias: Darién, Panamá, Colón, Coclé, Veraguas, Herrera, Los Santos, Bocas del Toro, Chiriquí y las cinco Comarcas Indígenas que son: Kuna Yala, Gnöbe Buglé, Madugandí, Emberá, (a su vez dividida en dos: Cemacó y Sambú) y la Reserva de Wargandí.

des buques el paso de un océano a otro en un período de tiempo que oscila entre las ocho y las diez horas. La alternativa para estos buques sería dar la vuelta al continente por el peligroso estrecho de Magallanes tras muchos días de navegación.

En contraste con el resto del Istmo centroamericano, en Panamá no existen volcanes activos y la actividad sísmica es escasa, generalmente relacionada con movimientos que proceden de Costa Rica o Colombia, o del desplazamiento de las placas tectónicas en alta mar. La

ships would be a journey of several days that involves passing through the dangerous Strait of Magellan.

In contrast to the rest of the Central American Isthmus, in Panama there are no active volcanoes and the scarce seismic activity that does exist is generally related to movements occurring in Costa Rica or Colombia, or originating from the movement of tectonic plates out in the ocean. The Central Cordillera that stretches from the border with Costa Rica to Cerro Trinidad in Panama province divides the country into two slopes, the Caribbean and the Pacific.

Panama is in a class of its own on the American continent for the beauty of its luxuriant vegetation, its abundant bird life (over 900 species have been recorded), its many endemic orchids, the plentiful fishing along the coasts of both oceans, many spectacular beaches, more than 1,000 paradisical islands in its archipelagos as well as the different kinds of forests. All the above constitutes an exceptional ecological wealth, which is preserved in national parks and other conservation areas that account for 29% of the country's surface area.

Panama stands out, above all, for its friendly, lively and hospitable people. Thanks to its status as an international bridge, a crucible of races, amalgam of customs, folklore, foods and languages, it always welcomes visitors with all the gaiety and hospitality of a tropical country.

The Republic of Panama is administratively divided into nine provinces: Darien, Panama, Colon, Cocle, Veraguas, Herrera, Los Santos, Bocas del Toro, Chiriqui and the five Indian Districts of Kuna Yala, Gnöbe Bugle, Madugandi, Embera, (in turn divided into Cemaco and Sambu) and the Wargandí Reserve.

*Punta Paitilla, bañada por las aguas de la amplia bahía de Panamá.*

*Punta Paitilla, lapped by the waters of sweeping Panama Bay.*

*La hermosa bahía Piñas, en la costa pacífica panameña, se ha convertido en los últimos años en uno de los lugares más importantes del continente para la práctica de la pesca deportiva en sus diferentes modalidades.*

*Lovely Piñas Bay on the Panama's Pacific coast has, in recent years, become one of the most important places on the American continent for the different kinds of sport fishing.*

Las magníficas instalaciones hoteleras de bahía Piñas permiten compaginar el descanso con la pesca deportiva.
A la izquierda, atardecer en la desembocadura del río Mogue.

The magnificent hotel facilities at Piñas Bay enable visitors to combine relaxation with fishing for magnificent specimens.
Left, sunset at the mouth of the River Mogue.

La visita en piragua, a través del río Chagres, a una comunidad Emberá permite descubrir
una parte de la riqueza étnica de Panamá.
Los indígenas, con sus trajes y adornos típicos, hacen participar al visitante
de sus costumbres y sus danzas rituales.

———

Traveling by canoe along the River Chagres to visit an Embera community enables visitors
to discover a part of Panama's ethnic riches.
Dressed in typical costumes and adornments, the indigenous people
invite visitors to take part in their customs and ritual dances.

*La visita en piragua, a través del río Chagres, a una comunidad Emberá permite descubrir
una parte de la riqueza étnica de Panamá.
Los indígenas, con sus trajes y adornos típicos, hacen participar al visitante
de sus costumbres y sus danzas rituales.*

*Traveling by canoe along the River Chagres to visit an Embera community enables visitors
to discover a part of Panama's ethnic riches.
Dressed in typical costumes and adornments, the indigenous people
invite visitors to take part in their customs and ritual dances.*

En la doble página anterior,
la belleza de la selva de Cana
en el Parque Nacional Darién.
Arriba, recorrido por el río Mogue con sus
magníficos manglares y cerdos –o chanchos–
en las orillas de dicho río.
A la derecha, Punta Patiño durante
la estación seca, y uno de los poblados
asentados en las márgenes del río Mogue.

*On the preceding double page, the beauty of*
*the jungle in Cana, Darien National Park.*
*Above, a trail along the River Mogue, with its*
*magnificent mangrove swamps and pigs*
*–known as chanchos– on the river banks.*
*Right, Punta Patiño in the dry season, and one*
*of the settlements along the river bank.*

# PANAMÁ

La provincia de Panamá tiene una extensión de 11.887 kilómetros cuadrados. Está situada al sur de la de Colón, al oeste del Darién y seccionada en dos mitades por el Canal de Panamá. En ella está situada la ciudad de Panamá, capital de la República, fundada en enero de 1673 por Don Antonio Fernández de Córdoba y Mendoza en una pequeña península situada a la sombra del cerro Ancón. La primera ciudad, Panamá la Vieja, había sido fundada un poco más al sur el 15 de agosto de 1519. Ante el inminente ataque y saqueo, en enero de 1671, por parte de corsarios encabezados por Henry Morgan, fue incendiada por órdenes de su gobernador, Don Juan Pérez de Guzmán. Sus ruinas pueden hoy admirarse en todo su esplendor.

Panamá es una ciudad moderna, pegada al mar, en la que destacan su importante centro bancario y Punta Paitilla, con sus poderosos rascacielos. Se trata de una ciudad llena de vida, con una amplia oferta hotelera, restaurantes que ofrecen comida para el gusto de todos los paladares, centros de diversión, discotecas, casinos… en fin, una ciudad verdaderamente cosmopolita. El casco antiguo de la ciudad, declarado Patrimonio de la Humanidad por la UNESCO en 1997, está siendo renovado. En él se puede apreciar la belleza arquitectónica de sus casas de principios del siglo pasado, los callejones con vetustas ruinas y las iglesias coloniales entre las que brillan con luz propia la catedral, con sus torres recubiertas de conchas de nácar que brillan al ser golpeadas por el sol, la majestuosa iglesia de San Francisco, ubicada frente al hermoso Teatro Nacional, la iglesia de San José, con el famoso altar de oro que fue salvado de la codicia de los piratas al ser cubierto con una mezcla de albayalde, y las ruinas del convento de Santo Domingo, con el famoso Arco Chato que tiene más de trescientos años de existencia. En el casco antiguo también se encuentra el palacio de las Garzas, actual sede de la presidencia de la República, con su patio morisco y los hermosos murales de Roberto Lewis que adornan sus salones, y el paseo de las Bóvedas, antigua fortaleza ubicada frente al mar en donde se encuentra la plaza de Francia y el monumento en honor a los iniciadores de la construcción del Canal.

En la Plaza de la Catedral se alza el Museo del Canal, el antiguo edificio de Correos, totalmente restaurado, que junto a una completa exposición de la historia y construcción del Canal de Panamá reúne en su interior bellísimas exposiciones permanentes y transitorias.

La ciudad de Panamá alberga también otros interesantes museos como el Museo de Historia, el Museo Reina Torres de Arauz, centrado en la antropología del Istmo, el Museo Afroantillano, que habla de los inmigrantes de los siglos XIX y XX, el Museo de Arte Contemporáneo, con sus salas de plástica actual, el Museo de Ciencias Naturales y la Casa-Museo del Banco Nacional, con sus excelentes colecciones filatélicas y numismáticas.

En el centro de convenciones Atlapa se celebran grandes acontecimientos, principalmente ferias comerciales, a las que asisten miles de visitantes de todas partes del mundo. El puerto de Balboa sirve de entrada al tráfico comercial que llega del oriente y del oeste del continente americano. La Autoridad del Canal de Panamá tiene sus oficinas centrales en el área de Balboa, donde comienza el Canal del lado del Pacífico y donde se encuentran las esclusas de Miraflores. Por su intenso tráfico comercial Panamá es el escaparate y bazar de toda Centroamérica y el Caribe, con numerosos comercios que se extienden por sus avenidas y modernos centros comerciales que ofrecen un amplio abanico de mercancías procedentes de distintas partes del mundo.

En el área rural de la provincia se encuentran los grandes parques nacionales que protegen la cuenca del

# PANAMA

Panama province covers 11,887 square kilometers. Situated to the south of Colon province and to the west of Darien, it is split in two by the Panama Canal. It contains Panama City, the capital of the Republic, founded in January 1673 by Don Antonio Fernandez de Cordoba y Mendoza on a small peninsula in the shadow of Cerro Ancon. The first city, Panama la Vieja (Old Panama City), had been founded a little further south on 15 August 1519. Faced with imminent attack and pillage in January 1671 by pirates led by Henry Morgan, the city was set on fire on the orders of its governor, Don Juan Perez de Guzman, and its ruins may now be admired in all their splendor.

Set snugly next to the sea, Panama is a modern city boasting an important banking center and Punta Paitilla, with its imposing skyscrapers. A very lively city, it has a wide range of hotels and restaurants offering food to suit all tastes, as well as entertainment centers, discotheques, casinos, etc. All in all, it is a truly cosmopolitan city.

The old part was declared a World Heritage Site by UNESCO in 1997 and is being renovated. Besides the architectural beauty of its houses dating from the beginning of the last century, visitors can admire the alleyways with venerable ruins and the colonial churches, including the outstanding cathedral with its towers covered in mother of pearl shells, which shine in the sun. There is also the magnificent Church of San Francisco situated opposite the lovely National Theater, the Church of San Jose, with the famous golden altar that was saved from pirate covetousness by covering it with a mixture of white lead, and the ruins of the Convent of Santo Domingo with the famous Arco Chato (Low Arch) over three hundred years old. The Old Quarter contains the Palace of Las

*La bella catedral de Panamá, situada en el corazón del casco antiguo de la ciudad, es uno de los edificios más singulares de este sitio declarado por la UNESCO Patrimonio de la Humanidad.*

*Situated in the heart of the city's Old Quarter, the delightful cathedral is one of the most remarkable buildings at this UNESCO World Heritage site.*

El Parque Nacional y Reserva Biológica Altos de Campana, con casi 5.000 hectáreas, fue el primer parque nacional declarado en la República de Panamá en el año 1966. El parque protege las cuencas del río Trinidad y sus afluentes, cuyas aguas vierten en la cuenca del Canal. Un sendero natural interpretativo recorre estos bosques húmedos tropicales.

El Parque Nacional Camino de Cruces, con más de 4.500 hectáreas, junto al Parque Nacional Soberanía posee, además de sus riquezas naturales, un gran valor histórico y cultural ya que por él pasaba el Camino de Cruces que unía la ciudad de Panamá con la de Portobelo y por el que se transportaban las riquezas procedentes del Perú, Baja California y otros puertos de la Colonia española. En él se conservan todavía tramos con el empedrado original de este camino colonial.

A las puertas de la ciudad de Panamá se encuentra el bosque más accesible de toda Centroamérica. Se trata del Parque Natural Metropolitano que con 265 hectáreas posee un gran valor educativo y recreativo a las puertas de la ciudad y en el que numerosos senderos interpretativos acercan al hombre de la ciudad a la naturaleza.

En el centro del Canal destaca el Monumento Natural Isla Barro Colorado, administrado por Instituto Smithsonian de Investigaciones Tropicales. Se trata de las 5.346 hectáreas de los bosques tropicales mejor estudiados del planeta. La isla se formó cuando represaron el río Chagres para formar el lago Gatún y cuenta con senderos naturales que se recorren con la ayuda de guías especializados. El Instituto Smithsonian mantiene modernas instalaciones científicas, bibliotecas y auditorios en el nuevo Centro Tupper de la ciudad, en donde

Canal. El Parque Nacional Chagres, con 129.000 hectáreas es el encargado no sólo de asegurar el agua para el buen funcionamiento del Canal sino también de proporcionar agua potable a más del 50% de la población panameña concentrada en las áreas metropolitanas de Panamá y Colón. El lago Alajuela, creado artificialmente en 1935, es de gran belleza y espectacularidad.

El Parque Nacional Soberanía, con sus 20.000 hectáreas de bosques húmedos tropicales protege la orilla este del Canal de Panamá. Numerosos senderos naturales, entre ellos el del Oleoducto, hacen las delicias de los aficionados a la naturaleza. En el área protegida se encuentran Canopy Tower, un lugar idóneo para la observación de las aves, y el Jardín Botánico Summit, con su recinto del Águila Harpía, en el que viven y nacen ejemplares de la espectacular ave nacional panameña.

Garzas, current headquarters of the Presidency of the Republic, with its Moorish patio and lovely murals by Roberto Lewis adorning the rooms, and the Paseo de las Bóvedas, a former fortress looking out to sea, site of the Plaza de Francia and the monument in honor of those who began the construction of the Canal.

In the Plaza de la Catedral stands the Canal Museum, a totally restored building that used to be the Post Office, which besides a complete exhibition on the history and building of the Panama Canal, contains extremely beautiful permanent and temporary exhibits.

Panama City also hosts other interesting museums such as the History Museum, Reina Torres de Arauz Museum, which focuses on the anthropology of the Isthmus, the Afro-Caribbean Museum dealing with nineteenth and twentieth century immigrants, the Museum of Contemporary Art containing current art exhibits, the Natural History Museum and the Museum-House of the National Bank with its excellent stamp and coin collections.

The Atlapa Convention Center hosts great events, mainly trade fairs that are attended by thousands of visitors from all over the world. Puerto de Balboa is the port of entry for commercial traffic from East and West of the American continent. The Panama Canal Authority has its central offices in the Balboa area, where the Canal starts on the Pacific side and where the Miraflores locks are situated. Panama is the showcase and bazaar of all Central America and the Caribbean due to the intense commercial traffic. Along its avenues numerous businesses and modern shopping centers offer a broad range of merchandise from different parts of the world.

The rural part of the province contains the large national parks that protect the Canal basin. Chagres National Park (129,000 hectares) is responsible not only for guaranteeing the water supply for the sound operation of the Canal, but also for providing drinking water for over 50 % of the Panamanian population liv-

ing in the metropolitan areas of Panama and Colon. Lovely and spectacular Lake Alajuela was created artificially in 1935.

Soberania National Park, with its 20,000 hectares of moist tropical forests, protects the Panama Canal's eastern bank. Lots of nature trails, including the 'Oleoducto', are a delight for nature lovers. The protected area contains Canopy Tower, an ideal place for bird-watching, and Summit Botanical Garden with its harpy eagle enclosure, in which several specimens of Panama's national bird live and breed.

The 5,000-hectare Altos de Campana National Park and Biological Reserve was the first national park to be declared in the Republic of Panama in 1966. The park protects the basins of the River Trinidad and its tributaries whose waters flow into the Canal Basin. A nature trail leads through these moist tropical forests.

Camino de Cruces National Park, covering over 4,500 hectares alongside Soberanía National Park possesses, besides its natural riches, great historical and cultural value as the Camino de Cruces that joined Panama City with Portobelo used to run through it and the riches from Peru, Baja California and other ports in the Spanish colonies were transported along it. Some sections of the colonial road's original paving have been conserved.

At the gates of Panama City lies Metropolitano National Park, the most accessible forest in the whole of Central America. The 265 hectares of land at the city gates are of great educational and recreational value and many nature trails bring city dwellers closer to Nature.

In the center of the Canal is Isla Barro Colorado National Monument, administered by the Smithsonian Tropical Research Institute. Its 5,346 hectares represent the most studied tropical forest on Earth. The island was formed when the River Chagres was dammed to create Lake Gatun. Its nature trails can be followed with the aid of specialized guides. The Smithsonian Institute has

más de doscientos científicos de todas partes del mundo realizan investigaciones biológicas.

El Puente de las Américas sobre la entrada del Canal en el Pacífico conecta los dos sectores de la provincia y es el inicio de la carretera central que se extiende hasta la frontera con Costa Rica. El sector oeste, densamente poblado, posee hermosas playas de brillante arena blanca y negra: Cermeño, Gorgona, Coronado, Punta Barco…, en donde el visitante puede disfrutar de la hospitalidad de sus hoteles y restaurantes que sirven la comida típica de la región, así como una excelente cocina internacional. En el golfo de Panamá, a 18 km al sur de la ciudad se localiza Taboga, la isla de las flores, famosa por sus idílicos paisajes, centro importante del turismo desde hace dos siglos, con una de las iglesias más antiguas del hemisferio. Un poco más allá

está Taboguilla, un importante centro industrial de fabricación de la harina de pescado. A 80 km al sureste de la ciudad, también en el golfo de Panamá se encuentra el archipiélago de las Islas Perlas, formado por 183 islas de las que unas 39 son de tamaño habitable. La más grande es la montañosa Isla del Rey con el poblado de San Miguel, siguiéndole en importancia las de Pedro González, San José y la Isla Contadora, de fama internacional. Durante la época colonial de este archipiélago se extrajo un auténtico tesoro en perlas, siendo en aquella época la Perla Peregrina la más famosa.

En estas visitadas aguas, muy abundantes en peces, se celebran torneos internacionales de pesca de altura durante todo el año. Panamá cuenta con el moderno aeropuerto de Tocumen, situado muy cerca de la ciudad y unido a ella por el Corredor Sur, del que salen y llegan a diario numerosos vuelos que conectan a los viajeros con todas las partes del mundo.

Panamá capital puede considerarse como el lugar idóneo para disfrutar de la gastronomía internacional. En sus múltiples establecimientos se puede saborear tanto comida oriental como árabe, india, española, mexicana, francesa…, además de los platos típicos panameños que son una delicia para el paladar de cualquier persona exigente y en los que predominan los productos del mar.

El carnaval panameño es también internacionalmente famoso por sus comparsas, orquestas y cantantes que, acompañados del rico folklore con su murga y hermosas mujeres empolleradas y adornadas con prendas de oro lo convierten en una fiesta multicolor en la que se mezclan todas las costumbres de sus diferentes etnias.

*Pinturas de Roberto Lewis, realizadas en 1907, en una de las salas del Teatro Nacional.*

*Paintings by Roberto Lewis dating from 1907 in the National Theater.*

modern scientific facilities, libraries and auditoria in the city's new Tupper Center, where over two hundred scientists from all parts of the world carry out biological research.

The bridge Puente de las Américas over the entrance to the Canal on the Pacific unites the two sectors of the province and is the start of the central road that runs to the border with Costa Rica. The densely populated western sector has lovely beaches of shining black and white sand – Cermeño, Gorgona, Coronado, Punta Barco, etc. – where visitors can enjoy the hospitality of hotels and restaurants serving typical regional food as well as excellent international cuisine. In the Gulf of Panama, 18 km south of the city, lies Taboga, the island of flowers, famous for its idyllic scenery. An important tourist center for two centuries, it has one of the oldest churches in the southern hemisphere. A little further on is Taboguilla, an industrial center for fishmeal production. Eighty kilometers southeast of the city, also in the Gulf of Panama, is the Pearl Islands Archipelago consisting of 183 islets, of which 39 are of habitable size. The largest and most important is the mountainous Isla del Rey, with the village of San Miguel, followed by Pedro Gonzalez, San Jose and Isla Contadora of international renown. During the colonial era of this archipelago a veritable treasure in pearls was extracted, the most famous at that time being the Perla Peregrina.

In these much visited waters, brimming with fish, high level international fishing competitions are held throughout the year. Panama's modern Tocumen Airport is situated very close to the city and is connected to it via the 'Southern Corridor', along which numerous flights arrive and depart daily, connecting travelers with the rest of the world.

Panama City, the capital, is an ideal place to enjoy international cuisine, such as Oriental, Arab, Indian, Spanish, Mexican and French food, besides typical Panamanian dishes that will delight the most demanding palates and in which seafood takes pride of place.

The Panama carnival is also internationally famous for its bands, orchestras and singers. Together with the rich folklore with its street bands and charming women in national dress, they make it a multicolored fiesta that blends all the customs of the different ethnic groups.

*Puerto del casco antiguo y, al fondo, la silueta recortada de las torres de Punta Paitilla.*

*Port in the Old Quarter and, in the background, the outline of the towers of Paitilla Point.*

*En la doble página anterior, una vista aérea de la ciudad de Panamá con su bahía. Arriba, el Museo del Canal Interoceánico y el Palacio Municipal, situados en la Plaza Mayor del casco antiguo. A la derecha, la fachada de la iglesia de la Merced y, en primer término, la Casa Municipal.*

*On the preceding double page, an aerial view of Panama City and the bay. Above, the Interoceanic Canal Museum and* the Palacio Municipal *in the Plaza Mayor or Main Square of the Old Quarter. Right, the facade of the Church of la Merced and, in the foreground, the Casa Municipal or town hall.*

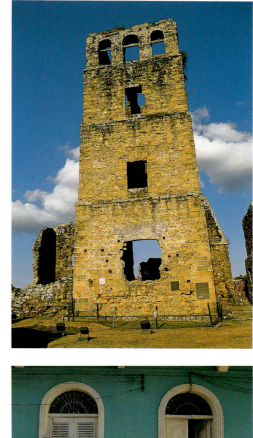

A la izquierda, el casco antiguo de la ciudad, del que destacan las dos torres gemelas de la catedral y, al fondo, la bahía de Panamá. Arriba, las ruinas de Panamá la Vieja con la torre de su catedral y un detalle de su arquitectura colonial.

Left, the Old Quarter of the city, with the cathedral's outstanding twin towers and Panama Bay in the background.
Above, the ruins of Old Panama City, with its cathedral tower and a detail of colonial architecture.

El carnaval de la ciudad de Panamá es internacionalmente famoso por el colorido de sus desfiles y el rico folklore que enriquece esta popular fiesta multicolor.

The carnival in Panama City is internationally renown for its colorful parades and the wealth of folklore that enriches this popular multicolored celebration.

En la doble página anterior, una vista aérea del lago Alajuela. Junto a estas líneas, el laboratorio Alexander Lang del Instituto Smithsonian de Investigaciones Tropicales en la isla Barro Colorado; Canopy Tower, una atalaya privilegiada para la observación de las aves en el Parque Nacional Soberanía, y un grupo de colegiales en uno de los senderos del Parque Natural Metropolitano, situado a las puertas de la ciudad. A la derecha, una canoa remontando el río Chagres y una parte empedrada y bien conservada del viejo camino colonial en el Parque Nacional Camino de Cruces.

On the preceding double page, an aerial view of Lake Alajuela. Alongside, the Alexander Lang Laboratory, part of the Smithsonian Tropical Research Institute, on the island of Barro Colorado; Canopy Tower, an exceptional lookout point for bird-watching in Soberanía National Park; and a group of schoolchildren on one of the trails in Metropolitano Natural Park at the city limits. Right, a canoe making its way up the River Chagres, and a well-preserved cobbled stretch of the old colonial road in Camino de Cruces National Park.

# COLÓN

Con una extensión de 7.247 kilómetros cuadrados la provincia de Colón, bañada por el Caribe está ubicada al norte del Istmo y partida en dos mitades por el Canal de Panamá. La capital es Colón, ciudad que originalmente fue bautizada como Aspinwall por el millonario que invirtió grandes sumas en la construcción del ferrocarril a mediados del siglo XIX. Fue ubicada en la isla de Manzanillo para servir de puerto a los grandes buques que traían a los aventureros dispuestos a cruzar el Istmo en el tren rumbo a California durante la llamada fiebre del oro de 1850. Colón fue una floreciente ciudad hasta después de la Segunda Guerra Mundial cuando comenzó a decaer la importancia del ferrocarril. En los últimos años ha tenido un resurgimiento gracias a la Zona Libre, un emporio económico de gran pujanza en donde cientos de empresas se dedican al comercio de importación y exportación a toda la América Latina.

La población original de la ciudad es en su mayoría de origen afroantillano, descendientes de los que vinieron a construir el Canal, que han conservado su idioma, folklore y la sabrosa comida caribeña. Debido a su importancia como centro comercial otros grupos étnicos se han ido integrando al área. Así, asiáticos, árabes, hebreos… han convertido a esta población en un interesante y dinámico mosaico humano que proporciona a Colón su gran vitalidad.

Al este de la ciudad, en un despliegue de luz y color a orillas del Caribe, en la denominada "Costa Arriba" se extienden playas y poblados hasta llegar a la legendaria Portobelo, Sitio del Patrimonio Mundial, cuya riqueza histórica se puede admirar en las fortificaciones que rodean la ensenada, en el edificio de la Aduana recién restaurado y en la iglesia colonial, hogar del famoso Cristo Negro, cuya celebración en octubre atrae a miles de devotos, algunos de los cuales llegan caminando desde la ciudad de Panamá. Alrededor de Portobelo se encuentra el Parque Nacional del mismo nombre, con importantes extensiones naturales de arrecifes coralinos, manglares, playas de gran belleza y bosques pluviales lamentablemente amenazados por la deforestación. A unos cuarenta kilómetros al noreste de Portobelo se sitúa Isla Grande, un atractivo sitio turístico con todas las comodidades para la exploración y pesca submarina alrededor de los arrecifes coralinos. Mas allá está Nombre de Dios, la más antigua población fundada por los españoles que tuvo una gran importancia en el desarrollo colonial del Istmo. Todo el oro y la plata del Perú y de otros países americanos eran transportados a Nombre de Dios a través del llamado Camino Real y de allí a Europa, mucho antes del auge de Portobelo. Muy poco queda hoy de las ruinas coloniales en este pintoresco pueblo bañado por las aguas del Caribe.

Al oeste de la ciudad de Colón, en la desembocadura del río Chagres se alzan las ruinas del fuerte de San Lorenzo, una importante fortificación colonial que defendía la entrada del río y que junto a Portobelo fue declarada por la UNESCO Patrimonio de la Humanidad.

La provincia de Colón destaca por su gastronomía especializada en mariscos y el famoso plato denominado "FUFU", sopa de leche de coco con plátano verde y pescado con un toque particular de picante llamado ají chombo.

# COLÓN

Covering 7,247 square kilometers, the province of Colon on the Caribbean slope is located in the north of the Isthmus and divided into two by the Panama Canal. The name of the capital is Colon although the city was originally named Aspinwall by the millionaire who invested large sums of money in building the railway in the middle of the nineteenth century. It was located on Manzanillo Island to serve as a port for the large ships that used to bring adventurers prepared to cross the Isthmus by train to California during the so-called gold rush of 1850. Colon was a flourishing city until after the Second World War, when the importance of the railroad began to decline. It has experienced a resurgence in recent years thanks to the Free Zone, a booming economic emporium, where hundreds of businesses are engaged in the import and export trade to all of Latin America.

The city's original inhabitants, mainly of Afro-Caribbean origin and descendants of those who came to build the Canal, have kept their language, folklore and delicious Caribbean cooking. Due to its capacity as a trade center other ethnic groups, such as Asians, Arabs, Jews, etc., have been integrated and have made this city an interesting and dynamic human mosaic that infuses Colon with great vitality. To the east of the city there is a display of light and color along the shore of the Caribbean; it is the so-called 'Costa Arriba' (Upper Coast), beaches and villages extending as far as the legendary Portobelo, a World Heritage Site. Its historical wealth can be admired in the fortifications surrounding the inlet, in the recently restored Customs building and the colonial church, which houses the famous Black Christ whose festival in October attracts thousands of faithful devotees, some of whom walk there from Panama City. Around Portobelo is the national park of the same name, with large stretches of coral reefs, mangrove swamps, lovely beaches and rain forests that are unfortunately threatened by deforestation. Some forty kilometers to the northeast of Portobelo is Isla Grande, an attractive tourist site with all the amenities required to explore and go underwater fishing around the coral reefs. Further away is Nombre de Dios, the oldest settlement founded by the Spanish, which was very important in the colonial development of the Isthmus. All the gold and silver of Peru and other American countries was transported to Nombre de Dios along the so-called Camino Real (Royal Road) and from there to Europe, long before the expansion of Portobelo. Very little remains of the colonial ruins of this colorful town on the Caribbean shore.

To the west of Colon city at the mouth of the River Chagres are the ruins of the San Lorenzo Fort, an important colonial fortification that defended the entrance to the river and which was declared part of the World Heritage by UNESCO, along with Portobelo.

Colon province is well-known for its seafood specialties and the famous dish known as 'Fu-Fu', a soup made of coconut milk, green banana and fish with a special touch of spice called *ají chombo*.

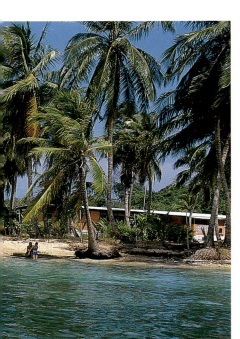

*Isla Grande está bañada por las templadas aguas del Caribe y rodeada de arrecifes coralinos.*

*Washed by the warm waters of the Caribbean, Isla Grande is surrounded by coral reefs.*

Las instalaciones del hotel Meliá
Colón se ubican en las orillas del lago
Gatún, en un incomparable entorno
natural. A la izquierda, el hotel
Gamboa Resort con sus excelentes
instalaciones. Ambos constituyen un
modelo del futuro turístico de
Panamá en el que el ecoturismo será
uno de los principales motores de su
desarrollo.

The Hotel Melia Colon stands
on the banks of Lake Gatun in an
incomparable setting. Left, the
Gamboa Resort Hotel, with its
excellent facilities. Both represent a
model of the tourism of the future in
Panama, in which "green" tourism
will be one of the main driving forces
behind the country's development.

A la izquierda, una vista general de la zona portuaria de Colón.
Arriba, un buque zarpando del puerto de Manzanillo con ayuda de un
pequeño remolcador, y la fachada del edificio Harbour View
en dicho puerto.

Left, an overall view of Colon's port zone. Above, a boat setting
off from the port of Manzanillo with the aid of a small tug,
and the façade of the Harbor View Building in the same port.

*Arriba, el famoso Cristo Negro de Portobelo
que en octubre atrae a miles de devotos, y el
edificio restaurado de la Aduana.
Junto a estas líneas, una batería en las ruinas
del fuerte de Santiago en Portobelo.
A la derecha, fuerte de San Fernandino
o Batería Alta del fuerte de San Fernando en
Portobelo, y la Aduana.*

*Above, the famous Black Christ of Portobelo,
which attracts thousands of faithful in
October, and the restored Customs building.
Alongside, a battery in the ruins
of Fort Santiago in Portobelo.
Right, Fort San Fernandino or Upper Battery
of Fort San Fernando in Portobelo,
and the Royal Customs Building.*

Las ruinas del fuerte de San Lorenzo
(arriba y junto a estas líneas) se alzan
estratégicamente dominando la
desembocadura del río Chagres.
A la derecha, una vista general de la ciudad
de Colón con su catedral, y uno de los
paseos de la que es la segunda ciudad en
importancia de Panamá.

The ruins of Fort San Lorenzo (above and
alongside) are strategically positioned
overlooking the mouth of the River
Chagres. Right, an overall view of Colon
City and its cathedral, and an avenue in
Panama's second most important city.

*Arriba, el nuevo puerto para cruceros Colón 2000 y el edificio de la Compañía Panamá Ports. Junto a estas líneas, las grúas gigantes del puerto de Manzanillo. A la derecha, un "panamax" comenzando a atravesar las esclusas de Gatún en dirección al Pacífico, y una vista general de la Zona Libre.*

*Above, the new port for cruise liners Colon 2000 and Panama Ports Company building, Right, huge cranes in the port of Manzanillo. On the right page, a "panamax" beginning its passage through the Gatun Locks towards the Pacific, and a general view of the Free Zone.*

# CHIRIQUÍ

Esta provincia, con una extensión de 8.653 km², está considerada por su fertilidad como la despensa del país. En sus montañas se cultiva toda clase de productos vegetales y de frutas, siendo también la zona lechera más importante de Panamá y una excepcional productora de café. Se encuentra situada al oeste del país, limitando con la frontera con Costa Rica y al sur de la provincia de Bocas del Toro, de la que está separada por la cordillera Central. Es en esta cordillera donde se localizan las máximas altitudes del Istmo. En ella se encuentra el Parque Internacional de la Amistad, con 207.000 hectáreas de bosques nubosos y espectaculares parajes naturales de tierras altas que se continúan en el parque del mismo nombre en Costa Rica. Ambos parques fueron designados por la UNESCO en el año 1990 como Sitio del Patrimonio Mundial. Cerca de 400 especies de aves viven en estas tierras altas panameñas, entre ellas el espectacular y bellísimo quetzal.

La capital de la provincia es David, ubicada en el llamado Valle de la Luna, una populosa ciudad y el más activo centro comercial de la provincia. Muy cerca de David, en las cercanas montañas se alza la hermosa población de Boquete, con un clima siempre templado, un lugar de eterna primavera en donde se celebra cada año en febrero la concurrida feria de las flores. Al noroeste se localizan Cerro Punta y Bambito, enclavadas en una fértil área montañosa de la que procede la mayor producción agrícola de la República. Los amplios terrenos cubiertos de frutales y los extensos cafetales se alternan con fincas lecheras. En las áreas de Cerro Punta se crían los famosos caballos de raza, mientras que abundantes ríos de aguas rápidas, idóneos para la práctica del *rafting* hacen las delicias de los pescadores por las numerosas truchas que en ellos viven.

En la vertiente pacífica chiricana se ubica el Parque Nacional Volcán Barú, de 14.000 hectáreas, con el punto más alto de la República, 3.474 metros sobre el nivel del mar. Se trata de un conjunto espectacular de tierras protegidas que albergan muchas de las cabeceras y nacientes de los principales ríos de la provincia, entre ellos el río Caldera, cuyas aguas se utilizan para generar energía eléctrica para toda la República. Aquí también se localiza el valle de la Sierpe, donde se sitúan las 19.500 hectáreas protegidas de la Reserva Forestal Fortuna que incluyen las cuencas hidrográficas de los ríos Chiriquí y Hornito cuyas aguas surten el gran embalse Fortuna que garantiza la producción de agua necesaria para alimentar la planta hidroeléctrica del mismo nombre, la más importante del país. Manantiales de agua caliente se encuentran en Boquete, Gualaca y Tolé.

Los indígenas gnöbe-buglé (guaymí) habitan la provincia desde Tolé a la cordillera. Se trata de una tribu orgullosa de sus tradiciones y cultura. Con sus vistosas y coloridas batas bordadas a mano y su collar de cuentas, la chaquira, se puede observar a las mujeres gnöbe recogiendo el café o trabajando en las fincas acompañando a sus maridos en las faenas agrícolas, lo que forma parte de una tradición milenaria. Chiriquí es también un centro importante del cultivo de la caña de azúcar, que da origen a la fabricación de un excelente ron, así como del cultivo y comercialización de la naranja y el banano.

*La ciudad de David, situada en el denominado Valle de la Luna, es el más activo centro comercial de la provincia de Chiriquí.*

*The city of David in the so-called Valle de la Luna or Valley of the Moon is the busiest commercial center in Chiriquí province.*

# CHIRIQUI

This province covers 8,653 square kilometers, and because of its fertility is regarded as 'Panama's larder'. All kinds of fruits and vegetables are grown in the mountains, and it is also the most important milk-producing area in the country as well as an exceptional producer of high quality coffee. It is situated in the west of the country, bordering Costa Rica, south of the province of Bocas del Toro from which it is separated by the Cordillera Central. The highest land on the Isthmus is in these mountains.

La Amistad International Park is also located there; its 207,000 hectares of cloud forest and spectacular natural highland areas continue in the park of the same name over the border in Costa Rica. Both parks were designated as World Heritage sites by UNESCO in 1990. Nearly 400 bird species live in these highlands, including the spectacular and extremely beautiful quetzal.

The provincial capital, David, located in the so-called Valle de la Luna (Moon Valley), is a populous city and the most active commercial center in the province. Very close to David, in the nearby mountains is the lovely town of Boquete with its perpetually mild climate, a place of everlasting spring, where every year in February the crowded 'flower fair' is held. To the northwest are Cerro Punta and Bambito, nestling in a fertile mountain area that boasts the greatest agricultural output in the Republic. The broad tracts of fruit trees and extensive coffee plantations are interspersed with dairy ranches. Near Cerro Punta, the famous native breeds of horses are reared, while many fast-flowing rivers full of trout are a delight for fishermen, as well as being ideal for rafting.

On the Pacific side of Chiriqui is the 14,000-hectare Baru Volcano National Park, with the highest peak in the Republic, 3,474 meters above sea level. It is a spectacular grouping of protected land, containing many of the headwaters and springs of the province's main rivers, including the River Caldera whose waters are used for generating electricity for the entire Republic. La Sierpe Valley contains 19,500 hectares of protected land in the Fortuna Forest Reserve, including the basins of the River Chiriqui and River Hornito. Their waters feed the Fortuna Reservoir, which supplies the hydroelectric plant of the same name, the most important in Panama. There are hot water springs in Boquete, Gualaca and Tole.

The Gnöbe-Bugle Indians (Guaymi), who inhabit the province from Tole to the mountains, are proud of their traditions and culture. In their striking and colorful hand-embroidered garments and bead necklaces, known as *chaquira,* the Gnöbe women can be seen picking coffee or working on the estates, accompanying their husbands in agricultural tasks as part of an age-old tradition. Besides growing and marketing oranges and bananas, Chiriqui is also an important sugar cane growing center, which has given rise to the manufacture of an excellent rum.

*Arriba, densas masas forestales en el Parque Internacional La Amistad. Junto a estas líneas, una muchacha guaymí recogiendo café en un cafetal de altura en Boquete. A la derecha, una muestra de las instalaciones, la cata y el café en Finca Lérida, de la familia Collins.*

*Above, thick tracts of forest in La Amistad International Park. Alongside, a Guaymí girl picking coffee on an upland coffee plantation in Boquete. Right, an example of the installations, tasting and coffee on the Lerida Estate plantations.*

Los bosques del Parque Internacional
La Amistad (derecha) se caracterizan por las
grandes dimensiones de sus árboles y por
la densidad y espesura de su sotobosque.
Arriba, un macho de una especie de colibrí
denominada alasable violáceo, y una planta
en el sendero de la Cascada de este sitio
del Patrimonio Mundial.

Very large trees and thick undergrowth are
typical of the forests of La Amistad
International Park (right).
Above, a male violet sabrewing
humming bird, and a plant on the
La Cascada Trail at this World Heritage site.

En el bosque húmedo tropical del Parque
Internacional La Amistad sobresale la
presencia de numerosas lianas y plantas
epífitas que cuelgan de las ramas de los
grandes colosos forestales de la selva.
A la derecha, plantaciones en las laderas
inferiores del volcán Barú, cuyos suelos
destacan por su fertilidad, y restos de
cerámica e inscripciones en piedra de la
antigua cultura indígena Barriles que habitó
en las tierras altas de Chiriquí.

In the moist tropical forest of La Amistad
International Park there is a striking
abundance of lianas and epiphytes
hanging from the branches of the great
forest giants.
Right, plantations on the lower slopes of
Baru Volcano, where the soils are
outstandingly fertile; plus pottery shards
and stone inscriptions of the ancient Indian
Barriles culture, which was found in the
Chiriquí highlands.

# COCLÉ

Coclé, con 11.239 kilómetros cuadrados está ubicada entre las provincias de Panamá y Veraguas y su capital es la ciudad de Penonomé, una tranquila población con fuerte sabor colonial. El vistoso carnaval acuático de Penonomé en el balneario de las Mendozas, que tiene lugar cuatro días antes del inicio de la Cuaresma constituye una gran atracción para el turismo. En las montañas de la provincia, en un antiguo cráter volcánico a los pies del cerro La India Dormida está ubicado el Valle de Antón, un hermoso pueblo que destaca por la exuberancia de su vegetación única, sus aguas termales y un clima siempre fresco. Es uno de los pocos lugares del mundo donde se encuentra la bellísima y amenazada ranita dorada. Al mercado de los domingos, en el que se vende una gran variedad de frutas, plantas y artesanías acuden visitantes de todas las áreas vecinas y excursiones desde la propia ciudad de Panamá. Otro punto de atracción para los visitantes es El Níspero, una finca dedicada a la cría y conservación de aves, reptiles y mamíferos, muchos de ellos en peligro de extinción.

En la costa se localizan las extensas playas arenosas de Corona, Farallón y Juan Hombrón que se extienden a lo largo de kilómetros entre los manglares protegidos —en donde se desarrollan las larvas de los camarones, la principal actividad pesquera del país— y la desembocadura de los grandes ríos. Cerca de Penonomé se encuentra La Pintada, pueblo famoso por sus artesanos especializados en la fabricación del sombrero pintado, parte del vestido típico de los montunos o campesinos panameños. En los sitios arqueológicos de El Caño y Sitio Conte, situados a pocos kilómetros al oeste de Penonomé, un museo reagrupa los restos de una antigua y desarrollada civilización. En la ciudad de Natá de los Caballeros se encuentra muy bien conservada la majestuosa y más antigua iglesia católica del hemisferio.

Al norte del poblado de El Cope se extiende el Parque Nacional General de División Omar Torrijos Herrera con más de 25.000 hectáreas, que protege amplias masas forestales que albergan numerosas plantas endémicas y las cabeceras de algunos de los más importantes ríos de la región.

Esta hermosa provincia de Coclé en la región central del país fue cuna de los Cacicazgos españoles durante la época colonial. Destaca por ser eminentemente artesanal, con la talla de la piedra Belmont conocida como piedra de jabón, los sombreros "pintao", la cestería, los dulces de leche, el manjar blanco… Su folklore es también eminentemente negroide en la región de Antón donde se celebra el Cristo Negro de Antón todos los 15 de enero.

*Parroquia de Santiago Apóstol en la ciudad de Natá de los Caballeros.*

*Parish of Santiago Apostol in the city of Nata de los Caballeros.*

# COCLE

This 11,239-square-kilometer province lies between the provinces of Panama and Veraguas. Its capital, Penonome, is a quiet town with a strong colonial flavor. Penonome's showy water carnival in the seaside resort of Las Mendozas is held four days before the start of Lent and is a great tourist attraction. The province's mountains contain an old volcanic crater at the foot of a hill known as *La India Dormida* (The Sleeping Indian Woman). There visitors will find Valle de Anton, a lovely town noted for the luxuriance of its unique vegetation, its thermal waters and perpetually cool climate. It is one of the few places in the world where the extremely lovely and threatened golden frog can be found. Visitors from all the neighboring areas and even trippers from Panama City attend the Sunday market, where a great variety of fruit, plants and handicrafts is sold. Another visitor attraction is El Nispero, an estate devoted to breeding and conserving birds, reptiles and mammals, many of them threatened with extinction.

On the coast are the long sandy beaches of Corona, Farallon and Juan Hombron, which stretch for kilometers among the protected mangrove swamps, the place where shrimp larvae grow, the scene of the country's main fishing activity and the mouth of large rivers. Near Penonome is La Pintada, a town famous for its artisans, who are specialists in colored hats, part of the typical dress of the *montunos* or Panamanian country folk. At the archaeological sites of El Caño and Sitio Conte a few kilometers west of Penonome, a museum contains the remains of a former advanced civilization. The city of Nata de los Caballeros is home to a well-conserved and imposing Catholic church, the oldest in the southern hemisphere.

To the north of the town of El Cope is General de Division Omar Torrijos Herrera National Park, with over

*Artesana fabricante del popular sombrero "pintao" típico de los campesinos panameños.*

*A craftswoman making the typical popular 'pintao' hats worn by the country people of Panama.*

25,000 hectares of protected land, including vast tracts of forest that contain numerous endemic plants as well as the headwaters of some of the region's most important rivers.

The lovely province of Cocle in the central part of the country was the cradle of the Spanish *cacicazgos* or fiefdoms of local political bosses in the colonial period. It stands out as being above all craft-based, involving the working of Belmont stone, known as soapstone, painted hats, basketwork, milk-based sweets, blancmange, etc. Its folklore is also eminently Negroid in the Anton region, where the Black Christ of Anton is feted every year on January 15.

En la doble página anterior, el carnaval acuático de Penonomé que tiene lugar cuatro días antes del inicio de la Cuaresma. Arriba, la fabricación del sombrero "pintao". Junto a estas líneas y a la derecha, el mercadillo que se celebra cada domingo en el Valle de Antón, en el que destacan la gran variedad de frutas y su artesanía.

*On the preceding double page, the water carnival of Penonome, which is celebrated four days before the start of Lent. Above, making 'pintao' hats. Alongside and on the right, there is an outstanding variety of fruit and diverse handicrafts to be found in the street market held every Sunday in Anton Valley.*

El Valle de Antón es uno de los pocos lugares
del mundo en el que se localiza la bellísima y
amenazada ranita dorada (arriba).
Junto a estas líneas, el Parque Arqueológico
El Caño, situado a pocos kilómetros al oeste
de Penonomé. A la derecha, un tucán, del que
existe una población estable en las partes
más bajas del Parque Nacional
Omar Torrijos (El Copé).

Antón Valley is one of the few places in the
world to harbour the extremely beautiful
golden frogs (above), a threatened amphibian
species. Alongside, El Caño Archaeological Park,
a few kilometers west of Penonome.
Right, a toucan; a stable population
of this species lives in the lower parts
of Omar Torrijos National Park (El Copé).

# BOCAS DEL TORO

Esta provincia, con una extensión de 8.745 kilómetros se encuentra situada sobre la costa caribeña al norte de Chiriquí y al este de Costa Rica. Está formada por nueve islas principales, cincuenta y un cayos y más de doscientos islotes. Bocas destaca por las grandes plantaciones de banano, el denominado oro verde de Centroamérica. Esta área fue visitada en 1502 por el gran almirante Cristóbal Colón y en ella se asentaron piratas ingleses en 1745 que se dedicaron al comercio de la caoba, del caparazón de las tortugas y de la zarzaparrilla. A finales del siglo XIX los piratas se fueron y se estableció la primera plantación de bananas. Su población urbana, de origen afroantillano, conserva sus propias costumbres e idioma. Los gnöbe-bugle (guaymí), una noble tribu indígena vive también en esta provincia, extendiéndose hasta las tierras altas de Chiriquí y Veraguas. Una parte importante de su población trabaja en las bananeras. El pueblo Nasó o Teribe habita en poblados ribereños cerca del río del mismo nombre, que recorre esta provincia caribeña.

Pero Bocas es algo más que plantaciones de bananos. Las verdes islas con bosques milenarios del extenso archipiélago de Bocas del Toro surgen de las azules, cristalinas y tranquilas aguas de la laguna de Almirante, una preciosa colección de arrecifes de coral y playas de arenas blancas en donde se multiplican las especies marinas y terrestres en aguas tranquilas. Un lugar perfecto para el buceo o *snorkel*. En el archipiélago se encuentra el Parque Nacional Marino Isla Bastimentos, con 13.226 hectáreas, una de las más bellas áreas protegidas que existen hoy en Panamá en donde se ubican los cayos Zapatilla y playa Larga, un lugar importante para la nidificación de las tortugas marinas y para la conservación del amenazado manatí. La capital de la provincia es la ciudad de Bocas del Toro que, situada en la Isla Colón destaca por su arquitectura caribeña, la hospitalidad de sus habitantes y la cocina, típica del área, picante, deliciosa, única. Las otras ciudades importantes de la provincia son Almirante y Changuinola, accesibles por vía aérea y terrestre desde Chiriquí o por vía aérea desde la capital.

Bocas del Toro se caracteriza por los productos del mar y su cocina caribeña. En esta provincia destacan el baile de salón y de cuadrilla y el famoso baile del "May Pole" o Palo de Mayo, una auténtica reminiscencia de los grupos afroantillanos. Su artesanía es confeccionada a base de conchas de mar y de carey.

*Jóvenes Gnobe-Buglé en la Isla Cristóbal.*

*Young Gnobe-Buglé natives at Cristobal Island.*

# BOCAS DEL TORO

This 8,745-kilometer province is situated on the Caribbean coast to the north of Chiriqui and east of Costa Rica. It comprises nine main islands, fifty one keys and over two hundred islets. Bocas is noteworthy for the large banana plantations, the so-called 'green gold' of Central America. Besides being visited in 1502 by the great admiral Christopher Columbus, this area was occupied in 1745 by English pirates, who traded in mahogany, turtle shells and sarsaparilla. The pirates left at the end of the nineteenth century and the first banana plantation was set up. The local people, of Afro-Caribbean origin, conserve their own customs and language. The Gnöbe-Bugle (Guaymí), a noble Indian tribe, also live in this province as far as the highlands of Chiriqui and Veraguas. A large part of the population works on the banana plantations. The Naso or Teribe people live in settlements on the banks of the river of the same name that flows across this Caribbean province.

Bocas consists of somewhat more than banana tree plantations. The green islands covered in ancient forests of the extensive Bocas del Toro Archipelago rise out of the blue, crystalline and tranquil waters of the Laguna del Almirante (Admiral's Lagoon) along with a lovely series of coral reefs and white sandy beaches, where marine and terrestrial species breed in the peaceful waters. It is a perfect spot for diving and snorkeling. The archipelago contains the 13,226-hectare Isla Bastimentos National Marine Park, currently one of the loveliest protected areas in Panama. It includes the Zapatilla Keys and Playa Larga, an important place for nesting sea turtles and for conservation of the threatened manatee. The provincial capital, Bocas del Toro on Colon Island, is noted for its Caribbean architecture, the hospitality of its inhabitants and the typical local cooking, spicy, delicious and unique. The other important cities in Bocas del Toro province –Almirante and Changuinola– are accessible by air and land from Chiriqui or by air from the capital.

Seafood and Caribbean cuisine are typical features of Bocas del Toro. Other notable provincial characteristics are the pair and group dances and the famous 'May Pole Dance', a real reminder of the Afro-Caribbean heritage. The craftwork is made from sea shells and tortoises hell.

*Manglares en la Isla Bastimentos.*

*Mangrove swamps on Bastimentos Island.*

El área que ocupa el Parque Nacional
Bastimentos es una de las mejor
conservadas del Istmo panameño
y en ella la flora (arriba) ha experimentado
interesantes fenómenos evolutivos
para la ciencia.
A la derecha, unas tortugas carey
intentando ganar el mar
en la isla Carenero.

The area of Bastimentos National Park
is one of the best preserved on the
Isthmus of Panama.
The park's flora (above) has experienced
evolutionary phenomena of great
scientific interest.
Right, hawskbill turtles making for the sea
on Carenero Island.

La belleza de este archipiélago caribeño
queda patente en la costa de
Isla Bastimentos (junto a estas líneas),
en la que se localiza a la rana venenosa
Dendrobates pumilio. *Arriba, la belleza de
los fondos marinos del arrecife de coral.*

The beauty of this Caribbean archipelago
is evident along the coast of Bastimentos
Island (alongside), which is home to the
poisonous frog Dendrobates pumilio.
Above, the beauty of the waters around
the coral reef.

En la doble página anterior, una de las espectaculares playas de la Isla Colón. Arriba, el embarcadero de Isla Bastimentos y, junto a estas líneas, un embarcadero en la Isla Colón.

*On the preceding double page, one of Colon Island 's spectacular beaches. Above, the jetty on Bastimentos Island and, alongside, a jetty on Colon Island.*

En los bosques que tapizan el interior de
Isla Colón pueden encontrarse gigantescos
árboles como el que muestra la fotografía.
Junto a estas líneas, niños del poblado
Gnobe Buglé en Isla Cristóbal.

The forests covering the interior of
Colon Island contain enormous trees such
as the one illustrated here.
Alongside, children from the Gnobe Buglé
village on Cristobal Island.

*Arriba, la costa de Isla Colón. Junto a estas líneas, un típico plato de langostas. A la derecha, el cayo Isla Zapatilla y una playa en Isla Colón.*

Above, the coast of Colon Island. Alongside a typical lobster dish. Right, Zapatilla Island Key and a beach of Colon Island.

*Arriba, un bello crinoideo en el arrecife de coral y una pareja*
*de la ranita Dendrobates pumilio.*
*A la derecha, vista aérea de la costa tapizada de manglares y del bosque*
*tropical de Isla Bastimentos.*

*Above, a lovely member of the Crinoidea on the coral reef, and a pair*
*of frogs of the species Dendrobates pumilio.*
*Right, aerial view of the coastline covered in mangrove swamps, and*
*tropical forest on Bastimentos Island.*

# LOS SANTOS Y HERRERA

Estas dos provincias limítrofes ubicadas en la península de Azuero, al sureste de Veraguas, tienen fama en Panamá por el espíritu festivo de su gente y por los delicados trabajos que realizan sus excelentes bordadoras. La provincia de Herrera, con una extensión de 23.407 kilómetros cuadrados tiene su capital en Chitré, en la que se destaca la catedral colonial de San Juan Bautista. El río La Villa la separa de la provincia de Los Santos. En Herrera se localiza el Parque Nacional de Sarigua, que ocupa 8.000 hectáreas litorales de manglares, humedales y áreas completamente deforestadas frente a la bahía de Parita. Su impactante paisaje desértico, único en todo Panamá recibe el nombre genérico de "albina". En el parque existen parajes de aspecto lunar con suelos rojos desprovistos de vegetación, resultado de la destrucción de los bosques que cubrían estas tierras para ser convertidos en potreros a mediados del siglo XX. Allí se han encontrado restos arqueológicos de un importante asentamiento precolombino de pescadores de unos 11.000 años de antigüedad que constituye el sitio habitado conocido más antiguo de Panamá.

Los pintorescos pueblos de Herrera, Ocú, Pesé y Parita destacan por sus iglesias coloniales, las artesanías

*Diferentes vestidos de pollera utilizados en los bailes folklóricos.*

*Different local costumes, known as* pollera, *which are worn for folk dancing.*

# LOS SANTOS AND HERRERA

These two border provinces on the Azuero Peninsula to the southeast of Veraguas are famous in Panama for the festive spirit of the people and for the delicate work of their excellent embroiderers. The capital of 23,407-kilometer Herrera province is Chitre with its notable colonial Cathedral of St. John the Baptist. The River La Villa separates it from Los Santos province. Herrera contains Sarigua National Park on the coast, which covers 8,000 hectares of mangrove swamps, wetlands and completely deforested areas. The impressive desert landscape off Parita Bay, unique in Panama,

goes by the generic name of 'alvina'. The park's lunar landscapes are made up of red soils devoid of vegetation, the result of forest destruction to set up ranches in the middle of the twentieth century. Archaeological remains of an important pre-Columbian fishing settlement from about 11,000 years ago have been found in what is the oldest known inhabited place in Panama.

The picturesque towns of Herrera, Ocu, Pese and Parita are outstanding for their colonial churches and the wood and wicker craftsmanship and pottery with pre-Columbian motifs. The lovely national dress of

*Catedral de Chitré,*
*capital de la provincia de Herrera.*

*The cathedral in Chitre,*
*capital of Herrera province.*

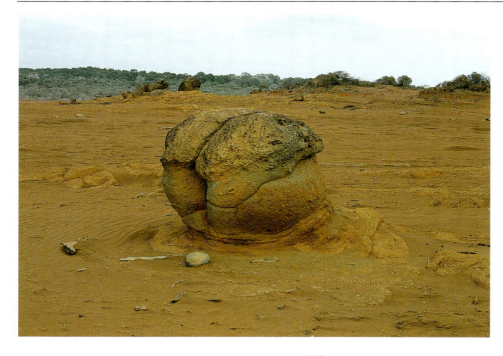

en maderas y mimbre y la alfarería con motivos preco-
lombinos. Aquí tiene su origen la preciosa pollera, el
vestido típico de la mujer panameña cuya confección
exige más de un año de trabajo a varias mujeres que
bordan en telas de fino hilo intrincados diseños y brillantes colores. Las mujeres lucen airosas estos maravi-
llosos atuendos en el tamborito, el baile típico de la
región, que al compás de tambores y del canto de las
propias mujeres invita al festejo. Los atractivos sombreros de paja tejidos a mano que usan los hombres son
muy apreciados y se consideran como el verdadero
sombrero de Panamá. En el poblado de la Arena de
Chitré se localiza el centro de la artesanía popular del
barro con sus múltiples manifestaciones. Una gran parte
de los habitantes de la provincia de Herrera se dedican
a la ganadería y a la agricultura de la caña, yuca, ñame
y maíz.

La provincia de Los Santos, con una extensión de
3.805 kilómetros cuadrados ocupa la parte más surorien-
tal de la península de Azuero. Su capital es Las Tablas. Los
santeños se destacan por su productividad, por su amor
y respeto a lo típico y tradicional y por su espíritu festivo.

Los principales conjuntos musicales típicos del país pro-
vienen de Azuero y es en la ciudad de Las Tablas en
donde cada año se celebra un espectacular carnaval que
atrae a miles de visitantes por su fastuosidad y alegría.
Una inmensa fiesta que durante cuatro días sin parar ter-
mina en la madrugada del Miércoles de Ceniza con el tradicional entierro de la sardina. El otro pueblo importante
de esta provincia por sus celebraciones es Guararé, cuna
de bellas mujeres y hermosas fiestas con paseos de
empolleradas en carretas adornadas con flores, rodeos y
bailes típicos.

En los Santos y Herrera, las provincias más ancestrales
del Istmo panameño, es donde se ha rescatado el folklore y las tradiciones vernaculares que se han ido transmi-
tiendo de generación en generación. Es aquí donde se
celebran los mejores carnavales del país y donde tienen
lugar importantes festividades religiosas. Las mejores
artesanas de la pollera, el vestido tradicional de Panamá,
y del traje folklórico del Montuno se encuentran en estas
dos provincias. En la gastronomía local lo más popular es
el sancocho de gallina, las torrejitas de maíz nuevo, los
chicharrones de cerdo y los tasajos de carne.

Panamanian women originated here; it takes several women over a year to embroider the cloth with fine thread in intricate designs and brilliant colors. The women gracefully show off their wonderful outfits in the popular *tamborito*, the typical regional dance; the beat of the drums and sound of the women's singing are an invitation to celebrate. The attractive hand-woven straw hats worn by the men are much appreciated and regarded as the true Panama hat. The town of Arena de Chitre is the center for many forms of popular craftwork in clay. Many of the inhabitants of Herrera province are engaged in stock farming and growing sugar cane, yucca, yam and corn.

The 3,805-square-kilometer province of Los Santos occupies the most southeasterly part of the Azuero Peninsula. The capital is Las Tablas. The local people are noted for their productivity, their love and respect for the typical and traditional and their festive spirit. The country's main typical musical groups are from Azuero and every year the lavishness and gaiety of Las

Tablas' spectacular carnival attracts thousands of visitors. It is a huge non-stop celebration lasting four days, which ends in the early hours of Ash Wednesday morning with the traditional burial of the sardine. The other town in this province famous for its celebrations is Guarare, cradle of beautiful women and delightful fiestas with processions of women in national dress riding in flower-decked carts, rodeos and typical dances.

In Los Santos and Herrera, the most ancestral provinces on the Isthmus of Panama, the folklore and vernacular traditions passed on from generation to generation have been recovered. It is here that the best carnivals in the country and important religious festivities are held. The most skilled manufacturers of Panama's traditional dress and of the costume of the country folk (*montuno*) come from these two provinces. The most popular items in the local cuisine are *sancocho de gallina* (a kind of chicken stew), *torrejitas* made with new corn, as well as pork crackling and jerked meat.

*La tierra resquebrajada de Sarigua durante la estación seca.*

The cracked earth of Sarigua in the dry season.

La Fiesta Internacional del Turismo en las Tablas, capital de la provincia de Los Santos, se celebra el día del Corpus Christi. Se trata de una especie de carnaval en el que los disfraces y los bailes populares adquieren un gran protagonismo.

The International Tourism Festival in Las Tablas, capital of Los Santos province, is held on the day of Corpus Christi. It is a kind of carnival in which fancy dress and popular dances are the order of the day.

*Numerosas máscaras y los disfraces más originales pueden contemplarse en la Fiesta Internacional del Turismo, que cada año atrae a un mayor número de visitantes nacionales y extranjeros en una repetición de los famosos carnavales.*

*Many very original masks and examples of fancy dress can be seen at the International Tourism Festival, which every year attracts increasing numbers of Panamanian and foreign visitors to its demonstrations of the famous carnivals.*

*Frente a la iglesia de las Tablas (derecha) se celebran las demostraciones de danzas populares en la Fiesta Internacional del Turismo. Arriba, una de las máscaras- sombrero y jóvenes poniéndose todos los complementos de oro que exige el traje de pollera.*

*Demonstrations of popular dances are given in front of the Church of Las Tablas (right) during the International Tourism Festival. Above, one of the hat-masks and young people donning all the gilded accessories that wearing the pollera costume requires.*

# VERAGUAS

La provincia de Veraguas, con una extensión de 11.239 kilómetros cuadrados se encuentra al oeste de las provincias de Coclé y Herrera y es la única que tiene costas en ambos mares. Su capital es Santiago, situada en el centro de la provincia. Cerca de Santiago se encuentra el pueblo de Atalaya con su basílica colonial, hogar del famoso Cristo que atrae a miles de peregrinos cada año durante las fiestas de marzo. Desde Santiago se llega al golfo de Montijo, en el Pacífico, y a las islas de Coiba, Gobernadora y Cebaco, con espléndidas áreas protegidas y abundante pesca. El Parque Nacional de Coiba, con más de 270.000 hectáreas de islas posee bosques, playas y manglares que en su mayoría se conservan en su estado natural, quizás porque Coiba, la isla principal, ha sido utilizada desde 1919 como una colonia penal por el gobierno de Panamá, lo que ha frenado la colonización y destrucción de sus recursos. En sus aguas litorales es frecuente la presencia de cetáceos, entre ellos la enorme ballena jorobada o yubarta y la orca.

Al sur de la provincia y unido biológicamente al archipiélago de Coiba se localiza el Parque Nacional de Cerro Hoya, con más de 32.000 hectáreas, una destacada reserva hidrológica en la que nacen los más importantes ríos de la región. Sus bellos paisajes naturales se caracterizan por espectaculares cascadas y numerosos cursos fluviales de aguas transparentes. Aquí y en Coiba son los únicos lugares de Panamá en donde se reproduce la amenazada guacamaya roja.

La provincia también ofrece hermosos paisajes de montaña en donde se encuentra el pueblo de San Francisco de la Montaña con su iglesia barroca del siglo XVIII, intacta desde su construcción. Los veragüenses son gente amable y sencilla, dedicados básicamente a la agricultura, a la ganadería y a la pesca. Veraguas posee una gran población indígena gnöbe-buglé ubicada en las áreas montañosas desde donde bajan a trabajar la zafra en los ingenios azucareros.

En la cocina de esta provincia son famosas las rosquillas de pan. En su folklore destaca la cumbia montañera. Las mejores sillas de montar a caballo se confeccionan en Veraguas.

*El famoso Cristo de la basílica
del pueblo de Atalaya.*

*The famous Christ in the basilica
of the town of Atalaya.*

# VERAGUAS

This province covers 11,239 kilometers to the west of the provinces of Cocle and Herrera and is the only one to have coasts on both oceans. The capital is Santiago, which is situated in the center. Near Santiago is the town of Atalaya with its colonial basilica, home of the famous Christ, which attracts thousands of pilgrims every year during the March celebrations. From Santiago you can reach the Gulf of Montijo on the Pacific and the islands of Coiba, Gobernadora and Cebaco, with splendid protected areas and lots of fish. Coiba National Park covers more than 270,000 hectares of islands, and has forests, beaches and mangrove swamps, which are mostly conserved in their natural state, perhaps due to the fact that the Government of Panama's use of Coiba, the main island, as a penal colony since 1919 halted colonization and the destruction of its resources. Cetaceans, including the enormous humpback whale and the orca are common in its coastal waters.

South of the province and biologically connected to the Coiba Archipelago is 32,000-hectare Cerro Hoya National Park, an important hydrological reserve in which the region's most important rivers rise. Its lovely natural scenery is characterized by spectacular waterfalls and many trans-

parent rivers. This park and Coiba are the only places in Panama where the threatened scarlet macaw breeds.

The province also offers lovely mountain landscapes that include the town of San Francisco de la Montaña; its Baroque church has remained intact since it was built in the eighteenth century. The kind and unsophisticated local people are basically engaged in agriculture, livestock farming and fishing. Veraguas has a large population of Gnöbe-Bugle Indians living in the mountains who come down to the lowlands to work the cane in the sugar mills.

*Rosquillas de pan* are a famous item of local fare, while the *cumbia montañera* dance is a notable feature of the folklore. The best saddles are made in Veraguas.

*Vista aérea de una zona del litoral de la Isla Coiba.*

*Aerial view of part of the coastline of Coiba Island.*

Muchas de las paredes de las casas en los alrededores de la ciudad de Santiago (junto a estas líneas) se encuentran rodeadas de llamativos carteles publicitarios que ofrecen una nota colorista a este lugar.
A la derecha, un ceramista trabaja artesanalmente el barro para confeccionar su original y bella cerámica. En la doble página siguiente, el interior de la iglesia barroca de San Francisco de la Montaña del siglo XVIII.

Many of the house walls on the outskirts of Santiago city (alongside) are surrounded by striking advertising posters that lend a touch of color. Right, a potter working clay by hand to make his original and beautiful pottery. On the preceding double page, the interior of the eighteenth century Baroque Church of San Francisco de la Montaña.

La provincia de Veraguas ofrece hermosos paisajes. Arriba, las orillas del río Santa María y la zona del Calobre. A la derecha, el lago Flor en La Yeguada.

*The province of Veraguas boasts lovely scenery. Above, the banks of the River Santa María and the El Calobre area. Right, Lake Flor in La Yeguada.*

*Junto a estas líneas, la entrada principal,
rematada por una original torre, de la basílica
de la Atalaya.
Arriba, el pilar labrado del púlpito barroco
y la pila bautismal de la iglesia
de San Francisco de la Montaña.*

*Alongside, the main entrance of the Basilica
of la Atalaya topped with an original tower.
Above, the carved pillar of the Baroque
pulpit and the font in the Church
of San Francisco de la Montaña.*

*Entre los monumentos civiles más representativos de la ciudad de Santiago, capital de la provincia de Veraguas, se encuentra la Escuela Nacional de Formación del Profesorado en la que destaca su monumental fachada.*

*Among the most representative civil monuments in the city of Santiago, capital of Veraguas province, is the National Teacher Training School, with its outstanding monumental facade.*

# LAS COMARCAS INDÍGENAS

En Panamá viven importantes grupos étnicos indígenas como los teribes, los emberá, los wounaan, los talamancas, los bri-bri, los bogotas…, que han hecho llegar hasta nuestros días sus costumbres y tradiciones. El Gobierno, con objeto de velar por su protección ha creado cinco grandes comarcas indígenas.

La comarca de Kuna Yala está ubicada al este de Panamá, al norte del Darién. Se trata de una estrecha región de 160 km de largo bordeando el mar Caribe. En sus aguas está el archipiélago de San Blas con más de 300 islas e islotes habitados por los kunas, una interesante etnia, la más occidentalizada de todas con una sólida cultura de régimen matriarcal. Los kunas se dedican a la pesca, al cultivo de la yuca, cocos y al bordado de "molas", mosaicos en tela de brillantes colores, verdaderas obras de arte únicas en el mundo. Las islas bañadas por un mar azul turquesa, con sus blancas playas y aguas transparentes son visitadas por los grandes cruceros que atraviesan el Caribe. Las principales islas son Porvenir, Corazón de Jesús, Mulatupo y Alingandí.

La comarca de Madugandi, que quiere decir "abundancia de guineo maduro" se localiza en las riberas y curso alto del río Bayano. Está habitada también por indígenas kunas pero de tierra firme. La forma de vida de esta reserva está adaptada a las tierras altas y su política administrativa es totalmente diferente a la de Kuna Yala.

La comarca Emberá, dividida en dos, Cemaco y Sambú, está habitada por el grupo chocoe y se concentra en la región selvática del Darién meridional. De régimen patriarcal son excelente talladores de las maderas preciosas y en particular de la tagua, conocida como el "marfil vegetal", con la que realizan trabajos artesanales inimitables ya que el arte y la creatividad es innata en ellos. Sus bailes y danzas rituales tienen un gran colorido y sus *shamanes* o curanderos poseen amplios conocimientos de la botánica local.

La comarca Gnöbe-Buglé está habitada por los indígenas guaymies que desde hace siglos se asentaron en las provincias de Bocas del Toro, Chiriquí y Veraguas, en la parte central y occidental del país. Son famosos por los bailes tribales conocidos como la Balsería, la Chicería y el Agüito y son también excelentes artesanos. Lo más conocido de ellos son sus hermosas *chaquiras* o pectorales y cuellos hechos de cuentas, además de las majestuosas batas o *nahuas* que llevan sus elegantes mujeres.

La comarca de Wargandí, cuyo nombre significa "abundancia de tabaco" está ocupada por los grupos kunas del centro de la provincia del Darién y la comarca de Kuna Yala. Artesanalmente destacan por sus trabajos de molas y el tallado de la madera en el que los ídolos de madera poseen sus vestimentas propias con telas trabajadas a mano. Su gastronomía está basada en los productos del mar y en vegetales propios de la región.

*Vista aérea de una de las islas kunas del archipiélago de San Blas.*

*Aerial view of one of the Kuna islands in the San Blas archipelago.*

# THE INDIAN DISTRICTS

Panama is home to important ethnic Indian groups such as the Teribes, Embera, Wounaan, Talamancas, Bri-Bri, Bogotas, etc., who have managed to conserve their customs and traditions down to the present day. The Government has created five large Indian districts in order to provide them with protection.

The Kuna Yala district, a narrow region 160 km long bordering the Caribbean, is located to the east of Panama and north of Darien. In its waters lies the San Blas Archipelago whose more than 300 islands and isles are inhabited by the Kuna, an interesting ethnic group with a solid matriarchal culture and the most westernized of all the Indian groups. The Kuna live from fishing, growing yucca, coconuts and embroidering *molas,* those brilliantly colored cloth mosaics which constitute true works of art, unique in the world. The islands washed by the turquoise blue sea, with their white beaches and transparent waters, are visited by large cruise liners on their way across the Caribbean. The main islands are Porvenir, Corazon de Jesus, Mulatupo and Alingandi.

Madugandi district, which means 'abundance of mature *guineo* tree' is located on the banks and upper course of the River Bayano. It is also inhabited by dry-land Kuna Indians. Their way of life on this reserve is adapted to the highlands and the administrative policy is totally different to that of the Kuna Yala.

Embera district is divided into two parts, Cemaco and Sambu. It is inhabited by the Chocoe group and concentrated in the jungle region of southern Darien. It has a patriarchal regime with excellent workers of precious woods and, in particular, of *tagua,* known as 'vegetable ivory', with which they make inimitable craft items as art and creativity are innate in them. Their folk and ritual dances are very colorful, and their shamans or local healers have a broad knowledge of local botany.

Gnöbe-Bugle district is inhabited by Guaymie Indians, who for centuries have settled in the provinces of Bocas del Toro, Chiriqui and Veraguas in the central and western parts of the country. They are famous for their tribal dances, known as La Balseria, La Chiceria and El Agüito, and also for their excellent craftsmanship. They are best known for their lovely *chaquiras* or adorned breastplates made of glass beadwork and bead necklaces, as well as the sumptuous overdresses or *nahuas* that the elegant women wear.

Wargandí district, whose name means 'abundance of tobacco', is occupied by the Kuna groups of the center of Darien province and the Kuna Yala district. As far as handicrafts are concerned, they are noted for their *molas* and carved wooden statues dressed in handmade clothes. Their cooking is based on seafood and locally grown vegetables.

*A la puerta de sus chozas los indígenas kunas venden magníficas molas.*

*Kuna Indians sell their magnificent molas at the entrances to their huts.*

*Arriba, joyas y adornos kunas en la isla del Porvenir. Junto a estas líneas, una india kuna fabricando una mola en la isla Wichubuwala. A la derecha, la isla Hierba y la cocción de langostas en el interior de una casa kuna.*

*Above, Kuna jewels and adornments on El Porvenir Island. Alongside, a Kuna Indian woman sewing a mola on Wichubuwala Island. Right, Hierba Island, and lobsters cooking inside a Kuna house.*

# EL FUTURO DE PANAMÁ

El Canal de Panamá constituye la vía fluvial marítima más importante del mundo, uniendo en pocas horas el Caribe con el Pacífico. Tras la reversión de más de 197.000 hectáreas a Panamá, el Canal y los terrenos que le circundan, gerenciados por la Autoridad de la Región Interoceánica (ARI) están considerados como el motor que va a hacer de Panamá uno de los principales países del continente americano.

Desde su inauguración en 1914, más de ochocientos mil buques han transitado por el Canal, llevando más de seis mil millones de toneladas de carga a los puertos de todo el del mundo. Con 80 kilómetros de longitud, el Canal representa para muchos países la forma más económica, segura, eficiente y competitiva para su transporte marítimo. Actualmente, el Canal de Panamá tiene un tránsito establecido de más de 14.000 embarcaciones por año.

Con la firma de los nuevos Tratados del Canal de Panamá de 1977, Estados Unidos devolvió paulatinamente a la jurisdicción panameña 147.400 ha de tierras y bienes. Esta reversión de edificios, viviendas y tierras se dio dentro de un programa-calendario que se intensificó año tras año, hasta que culminó con la entrega del propio Canal a manos panameñas el 31 de diciembre de 1999. A partir de la firma de este Tratado, el concepto de "ruta de

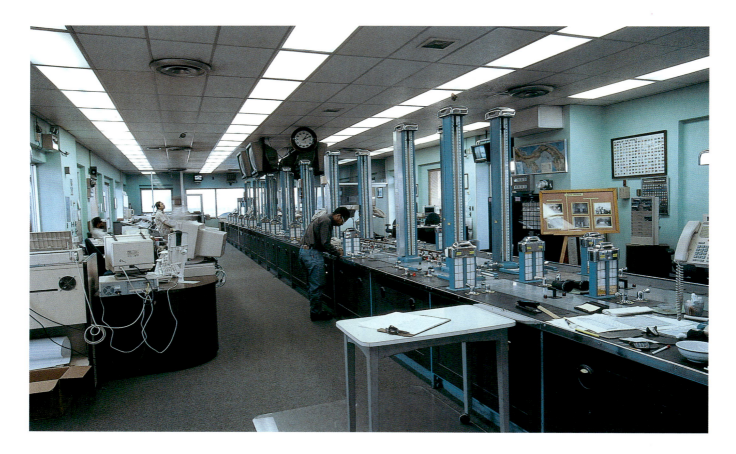

*Sala de control de las compuertas*
*de las esclusas de Gatún.*

*Control panels for the sluices*
*of the Gatun locks.*

# PANAMA'S FUTURE

The Panama Canal is the most important maritime waterway in the world joining the Caribbean and Pacific in a journey of just a few hours. Following the handing back of more than 197,000 hectares to Panama, the Canal and the land around it, managed by the Interoceanic Region Authority (ARI in Spanish), are considered to be the driving force that will make Panama one of the foremost countries on the American continent.

Since its inauguration in 1914, over eight thousand ships have passed through the Canal, carrying more than six thousand million tonnes of cargo to ports all over the world. For many countries, the 80-kilometer-long Canal represents the safest and most economic, efficient and competitive form of maritime transport. The Panama Canal currently has a regular traffic flow of over 14,000 vessels a year.

With the signing of the new Panama Canal Treaties in 1977, the United States gradually handed back 147,400 ha of land and goods to Panamanian jurisdiction. This return of buildings, housing and lands took place according to a schedule that intensified year by year, culminating in the handing over of the Canal itself to the Panamanians on 31 December 1999. On the basis of that treaty, Panama has changed the concept of 'transit

*Vista de la zona revertida de Amador y al fondo el Puente de las Américas.*

*View of the reverted Amador zone, and in the background, the Bridge of the Americas.*

can, principalmente, el desarrollo de los sectores marítimo, industrial, turístico y comercial.

La sinergia existente entre la Zona Libre de Colón, el centro bancario internacional, un moderno sistema de comunicación que incluye la privatización y modernización de puertos, del ferrocarril transístmico y de las carreteras, y el Canal de Panamá en medio de las principales rutas comerciales del mundo ha contribuido enormemente al desarrollo de estas áreas tan valiosas para el futuro como nación desarrollada. Otras ventajas que hacen de Panamá un país óptimo para la inversión privada es su economía dolarizada, la creación de incentivos a la inversión, la reforma sustancial de leyes (Ley Laboral) y la creación de otras como la Ley de Turismo, Reforestación y Zonas Procesadoras para la Exportación.

Dentro del sector marítimo y portuario hay que destacar la privatización de los puertos de Balboa y Cristóbal (en los extremos pacífico y atlántico del Canal, respectivamente), con una inversión de $130 millones; la construcción de nuevos puertos de transbordo para contenedores, como la Terminal Internacional de Manzanillo de la empresa estadounidense *Stevedoring Services of America,* que invierte $210 millones; y, con una inversión de $112.5 millones, la Terminal Internacional de Colón de la naviera más grande del mundo, *Evergreen.*

Posicionar Panamá como nuevo destino de las Américas es un sueño que todos los panameños han acariciado desde hace mucho tiempo. Panamá tiene mucho que dar a conocer a los millones de turistas que la atraviesan en cruceros sin bajarse a disfrutar de la gran gama de atractivos históricos, culturales, ecoturísticos, de recreación y de esparcimiento con que cuenta el país.

tránsito" con el que Estados Unidos manejaba el Canal ha sido modificado por Panamá y lo que eran antes tierras y bienes destinados a la operación y seguridad del Canal hoy en día son objeto de planes de desarrollo e inversiones procedentes del sector privado nacional y extranjero.

En 1993 la Asamblea Legislativa aprobó la Ley 5 de 25 de febrero de 1993 por la que se creaba la Autoridad de la Región Interoceánica (ARI). Las modificaciones producidas en dicha ley por la Ley 7 del 7 de marzo de 1995 han permitido la integración de la ARI en las políticas generales del Estado que buscan el desarrollo integral de la nación.

Tras la transferencia de todas las tierras adyacentes a la vía interoceánica, la misión de la ARI es la de administrar y promover su óptimo desarrollo bajo criterios económicos, sociales, urbanos, de desarrollo sostenible y de compatibilidad con la operación eficiente del Canal de Panamá. Estos criterios exigen dar prioridad e impulso a aquellos proyectos que puedan generar gran cantidad de empleos, exportaciones y el uso de materias primas nacionales.

En base a estos objetivos, la ARI ha concretado desde 1994 hasta la fecha, más de $1.400 millones en proyectos de desarrollo para éstas áreas. Estos proyectos bus-

route' with which the United States used to manage the Canal, and the lands and goods that used to be utilized for Canal operation and safety are nowadays the subject of development plans and investment on the part of the national and international private sectors.

In 1993, the Legislative Assembly approved Act 5 of 25 February 1993, which created the Interoceanic Region Authority (ARI in Spanish). The amendments introduced to this Act by Act 7 of 7 March 1995 have enabled the ARI to be integrated into general national policies aimed at comprehensive national development.

Following the transfer of all the land adjacent to the interoceanic waterway, the ARI's mission has been to administer and promote optimal development under economic, social and urban criteria as well as criteria of sus-

tainable development and compatibility with the efficient operation of the Panama Canal. These criteria require that projects liable to generate many jobs, exports and the use of national raw materials be promoted and given priority.

On the basis of these objectives, since 1994 the ARI has set aside over $1,400 million for development projects in these areas. These projects mainly seek to develop the maritime, industrial, tourist and commercial sectors.

The synergy existing between the Colon Free Zone, the international banking center, a modern communications system that includes the privatization and modernization of the ports, the railroad across the Isthmus and the roads, and the Panama Canal in the middle of the world's main commercial routes has contributed enor-

*El hipódromo*
*de la ciudad de Panamá.*

*The racetrack*
*in Panama City.*

Los esfuerzos por alcanzar este objetivo ya comienzan a dar frutos. Tras la creación de la ley por la cual se incentivan las actividades turísticas, las inversiones en este sector han sido especialmente alentadoras. Entre los más importantes proyectos en ejecución hay que mencionar la creación de hoteles y facilidades de recreación y ecoturismo por parte de importantes cadenas hoteleras internacionales en las áreas revertidas de Amador, Espinar (Gulick), Sherman, Summit, Brazos Brooks, Cocolí, José D. Bazán (Davis), Gamboa -con la primera villa ecoturística de las Américas-, y en la propia ciudad de Panamá.

En el área de proyectos industriales la ARI ha visualizado el desarrollo de zonas procesadoras para la exportación, parques industriales, tecnoparques, centros de adiestramiento y actividades afines a lo largo de la vía interoceánica, donde docenas de compañías nacionales e internacionales ya establecen sus negocios y conexiones con los mercados del mundo.

El proceso de globalización abre a Panamá las puertas del mercado mundial, eliminando el obstáculo que un mercado reducido presentaba a su desarrollo industrial. Su adhesión, primero a Centroamérica a través de tratados bilaterales, hoy a la Organización Mundial del Comercio y mañana a los mercados regionales establecidos, hace que su mercado sea el mundo entero. Panamá entra a formar parte del grupo de naciones que, sin grandes recursos, pero con una posición geográfica extraordinaria logran dinamizar su economía a través de las exportaciones. El futuro a corto plazo se llama Panamá.

*Barco "panamax" atravesando las esclusas de Pedro Miguel.*

*"Panamax" boat crossing the Pedro Miguel Locks.*

*Esclusas de Pedro Miguel.*
*En primer término las "mulas" o locomotoras.*

*Pedro Miguel Locks.*
*In the foreground are the mulas or locomotives.*

mously to the development of such valuable areas for Panama's future as a developed nation. Other advantages that make Panama an optimal country for private investment are its dollar-based economy, the creation of new investment incentives, substantial legal reform (labor law) and new legislation governing, for example, tourism, reforestation and export processing zones.

Within the maritime and ports sector, the following points are worth noting: privatization of the ports of Balboa and Cristobal (at the Pacific and Atlantic ends of the Canal, respectively) with investment of $130 million; construction of new ports for transfer containers, such as the Manzanillo International Terminal of the U.S. company Stevedoring Services of America, which is investing $210 million; and a $112.5 million investment in the Colon International Terminal by Evergreen, the world's largest shipping company.

To see Panama as the new destiny of the American continent is a dream all Panamanians have long cherished. Panama has a lot to offer the millions of tourists who cruise through the Canal without disembarking to enjoy the great range of historical, cultural, ecotourist, recreational and leisure opportunities the country has to offer.

Efforts to achieve this objective are already bearing fruit. After the creation of the law providing incentives for tourism, investment in this sector has been particularly encouraging. The most important projects underway include the plans of important international hotel chains to build hotels and recreational and ecotourism facilities in the reverted areas of Amador, Espinar (Gulick), Sherman, Summit, Brazos Brooks, Cocoli, Jose D. Bazan

(Davis), Gamboa (with the first ecotourism town in the Americas) and in Panama City itself.

In the field of industrial projects, the ARI foresees the development of export processing zones, industrial parks, technoparks, training centers and similar activities along the interoceanic waterway, where dozens of national and international companies are already doing business and are linked to the world's markets.

The globalization process opens the world's markets to Panama, removing the obstacle that a small market represented for its industrial development. Its adhesion, first to Central America via bilateral treaties, nowadays to the World Trade Organization and in the future to the established regional markets, means that the whole world is its market. Panama is becoming part of the group of nations which although not in possession of great resources, enjoy an extraordinary geographical position and manage to galvanize their economies through exports. Panama will be the force to reckon with in the near future.

*Vista de las esclusas de Miraflores, con el nuevo Centro de Visitantes, la primera de las tres esclusas que los barcos tienen que cruzar en su travesía desde el Pacífico al Caribe. A la derecha, uno de los muchos cruceros llenos de turistas que cada año realizan la travesía del Canal.*

*View of the Miraflores Locks, including the new Visitors Center, the first of the three locks that the boats have to pass through on their way from the Pacific to the Caribbean. Right, one of the many tourist-laden cruise ships which every year make the Canal crossing.*

Arriba y en la doble página siguiente, el simbólico Puente de las Américas que no sólo une las dos orillas del Canal sino también ambos océanos.
A la izquierda, un "panamax" a punto de entrar en la segunda compuerta de la esclusa de Miraflores y al fondo el lago del mismo nombre.

Above and on the following double page, the symbolic Bridge of the Americas, which joins not only the two banks of the Canal, but also both oceans.
Left, a 'panamax' about to enter the second sluice of the Miraflores Lock and, in the background, the lake of the same name.